L'Ami du Pêcheur

ANTONY ATHA

ADAPTATION CHRISTIAN PESSEY

MLP

L'Ami
du Pêcheur

L'Ami du Pêcheur

ISBN 2-7434-1057-4

Éditeur : Joanna Lorenz
Projet éditorial : Joanne Rippin
Maquette : Prue Bucknall
Illustrations : Stephen Sweet

Réalisation de la version française : LES COURS/Caen – Christian PESSEY
Avec la collaboration de : Daniel Babo (pour la traduction),
Anne Laurence (secrétariat de rédaction).

Les tableaux ci-dessous ont été reproduit avec l'aimable autorisation de :
pp 2, A A Glendening, Newman & Cooling Gallery ; 7, Antonio Paoletti ; 9d, Arthur Hunter ; 25, Francis Nys ; 32-33, Henry John King, avec
l'aimable permission de Bourne Gallery, Reigate ; 35, Jean Vibert ; 36bg, Walter Dendy Sadler ; 54b, Walter Dendy Sadler, Tate Gallery, Londres ; 50-
51, Henry John Yeend King ; 53b, Charles Leslie, avec l'aimable permission de Beaton Brown Fine Painting, Londres ; 57, A W Redgate ; Spectrum
Colour Library : pp 12b ; 16b ; 34h ; 37hg ; 37hd ; 38h ; 38b ; 39g ; 39d ; 40g ; 40d ; 4g ; 42g ; 42d ; 43 ; 52 ; 53h ; 54h ; 55 ; 56 ; 58. Visual Arts
Library : pp 5, Gustave Doré ; 8, Anton Dorph, avec l'aimable permission de Phillips Auctioneers ; 10-11, William Bromley ; 59, Corot, Musée
d'Orsay, Paris.

Sommaire

Introduction

... celui qui espère devenir un bon pêcheur, ne doit pas seulement
se contenter de se renseigner, de creuser, d'observer avec bon sens ; il doit
aussi s'armer de beaucoup d'espoir et de patience, faire preuve d'une passion
sans limite pour l'art de la pêche ; au premier essai naît le pressentiment
que la pêche – si agréable soit-elle – va demander beaucoup de vertus
et exiger une véritable victoire sur soi-même.

IZAAC WALTON ET CHARLES COTTON

Le Parfait Pêcheur (Édition de 1676)

Nombreux sont ceux qui viennent à la pêche par hasard plutôt que par envie. Si vous appartenez à une famille de pêcheurs, il est presque sûr qu'un jour ou l'autre vous aurez voulu pêcher, et qu'un grand-père, un père ou un frère vous auront emmené avec eux. Si vous avez commencé à pêcher plus tard, l'occasion en aura été fournie par un ami. "Je vais pêcher. Veux-tu venir ?", cette proposition pourrait bien avoir été l'une des plus importantes de votre vie.

Quelle que soit l'origine de votre passion, un carnet de pêche s'impose. Si vous venez de le commencer, vous avez devant vous les meilleurs moments de votre vie. Notez tout, même des chiffres approximatifs, sans oublier les jours de bredouille. Ce carnet se transformera avec le temps en véritable journal de souvenirs.

Ainsi, quand le pêcheur regarde derrière lui, il pense moins aux prises et aux
jours de pêche qu'aux sites dans lesquels il a pêché. La luxuriance des zones
humides, animées par la vie de l'insecte, de l'oiseau et de la truite fait ressortir
les fleurs du printemps précoce sur le vert intense : la noblesse et la puissance
des grandes rivières à saumons ; l'excitation que déclenche chez le pêcheur le
moindre pool ; la somptueuse eau rousse des Highlands ; la beauté sauvage
des immensités sans arbres et sans chemin qu'on a traversées avec l'esprit
d'aventure de l'explorateur à la recherche d'une possible eau à truite de mer :

dans tous ces sites, l'instinct du pêcheur s'éveille.
Les jours de joie et de succès ne s'effacent pas, et le pêcheur gardera pour
toujours en mémoire le souvenir des coins où il a pêché. Il faut pour cela que
cet univers soit vraiment différent : un monde de beauté et de plaisir.
Il arrive un moment où, dans une vie, les souvenirs s'allongent et prolongent
le temps. Le pêcheur qui a atteint ce stade et se remémore les plaisirs de sa vie,
sera bien heureux d'être devenu un jour pêcheur, quand il se souviendra de ces
jours rayonnants de bonheur où le plaisir atteint des sommets, souvenirs que le
soleil couchant de la vie ne parvient pas à ternir.

VISCOUNT GREY OF FALLODEN

Fly Fishing (ÉDITION DE 1930)

PAGE DE DROITE : jeunes garçons pêchant dans la lagune de Venise,
par Antonio Paoletti (1834-1912)

LE PREMIER POISSON

*L*e premier poisson attrapé, qu'il s'agisse d'une tanche, d'un gardon ou d'un rotengle, est celui qui a le plus de valeur. Ce genre de prise n'aura plus jamais le goût de l'exploit, mais vous en conserverez sûrement le souvenir. C'est encore plus vrai pour la prise de votre premier saumon. La capture de ce poisson insaisissable procure une émotion intense que l'on ressent rarement dans une autre discipline sportive ; c'est comme une victoire, une véritable prouesse, quelque chose qu'un pêcheur n'oublie jamais.

Il était sur la berge ! Mon premier saumon ; 10 livres environ. 13 minutes. Incroyable, mais mis au sec. Je le fourrais en force dans mon carnier, pleurant presque tout en continuant de pêcher. De temps en temps, je jetais un coup d'œil au saumon. Sans savoir pourquoi, je n'osais pas le regarder avec insistance. Cela aurait été déplacé ; comme un acte d'orgueil. Cela aurait pu le faire disparaître.

T. H. WHITE
England Have My Bones (1936)

La meilleure de toutes les descriptions est celle de Roland Pertwee dans une histoire courte "le Dieu de la Rivière". Un drame héroïque dont la conclusion est telle qu'on pouvait l'espérer :

Je ne devais absolument pas rater le lancer. Les indomptables spécimens de ma rivière chérie ont façonné mon savoir-faire et ma précision au fil des années. Quand, enfin, un monstre argenté, fatigué et à bout, s'est bridé à portée de mon bras, dans un tourbillon d'écume, la gaffe d'acier l'a tiré avec précision de son univers de courants. Je me retrouvai allongé dans l'herbe, mes bras autour d'un saumon pesant vingt-deux livres sur la balance et éprouvant une véritable joie de gamin.

CI-CONTRE : jeune garçon en train de pêcher,
par Anton Dorph (1831-1914).

Aucun jour de noce, aucun succès d'écolier, ni rêve d'étudiant, aucun sommet vaincu, aucun gibier abattu, ne peuvent occuper autant de cellules, dans la ruche de la mémoire, que votre premier saumon de printemps.

A. H. CHAYTOR
Letters to a Salmon Fisher's Sons
(1910)

CI-CONTRE : garçon attendant une touche, d'Arthur Hunter, vers 1860.

Le Poisson

Aime ton ruisseau, ô poisson innocent ;
Et, quand le pêcheur, pour son repas,
Par ignoble péché de gourmandise,
Tente, ce scélérat, de te prendre,
Que Dieu te donne la force, ô douce truite,
De tirer à l'eau le vaurien !

PETER PINDAR
Ballad to a Fish of the Brooke (1816)

"Mords à l'hameçon" crie Hiawatha,
Entraîne-le dans les profondeurs,
Mords à l'hameçon, ô esturgeon, Nahma !
Remonte du fond de l'eau,
Laisse-nous voir qui est le plus fort !"

HENRY WADSWORTH LONGFELLOW
The Song of Hiawatha (1855)

PAGE DE DROITE : ce jeune pêcheur passionné, d'un tableau de William Bromley
(1835-1888), risque d'être plus heureux avec les poissons qu'en amour.

LE SAUMON ATLANTIQUE
(Salmo salar)

Le saumon atlantique est un poisson anadrome, qui passe sa vie adulte en eau salée, mais retourne en eau douce pour se reproduire. Les saumons reviennent presque toujours dans les rivières où ils sont nés ; ces rivières se trouvent dans les différentes régions bordant l'Atlantique Nord, des côtes espagnoles au littoral d'Islande, du pourtour des îles Britanniques aux côtes de l'Europe continentale, France comprise, des côtes canadiennes à celles des États-Unis.

Le saumon adulte fraie dans des cuvettes, trous creusés dans le gravier du lit par la femelle, et les œufs qu'elle libère sont fécondés par la laitance du mâle. Presque tous les saumons mâles meurent après la ponte, mais environ 30 % des femelles survivent et retournent à la mer comme ravalots. Les œufs éclosent libérant de frêles créatures, de minuscules alevins qui deviennent vite du "menu fretin" et se transforment alors en tacon, semblable à une truite de 12 à 15 cm de long avec comme des marques de doigts sur chaque flanc.

Le tacon reste dans la rivière pendant au moins 1 an et parfois 5 ans. Le moment venu, en mai, ils perdent leurs couleurs de truite et migrent vers la mer ; ce sont des smolts, ou saumoneaux, à la livrée argent. Quand ils atteignent l'eau salée, ils gagnent les abords du Groenland, se nourrissant avec voracité, prenant rapidement du poids.

Le temps qu'ils passent en mer est variable. Ils reviennent parfois après un hiver en mer, comme grises, en juin ou en juillet, pesant en moyenne de 5 à 6 livres. S'ils passent deux hivers ou plus en mer, ils remonteront en rivière à tout moment de l'année pesant entre 3 à 15 kg, certains beaucoup plus. Le frai a lieu en novembre et décembre. Ils cessent alors de s'alimenter.

Le saumon est anadrome : il mène une double vie, l'une en eau douce, l'autre en eau salée. Sa vie en eau douce est en quelque sorte sa vie privée, ou vie d'amour ; sa vie en eau salée est ordinaire, ou vie de tous les jours. Le saumon inverse les mœurs du genre humain : on connaît sa vie privée, mais on ne sait à peu près rien du reste. Nous n'avons la chance de l'étudier que pendant la saison des amours.

WILLIAM HUMPHREY
The Spawning Run

La meilleure de toutes les techniques de pêche à la mouche est celle pour saumons de printemps dans une grande rivière. C'est une technique bien différente de la pêche de la truite à la mouche. C'est seulement par habitude que la disposition des plumes, en particulier sur les innombrables hameçons utilisés au début du printemps, conduit à parler de "mouche" ; car le mouvement de celle-ci dans l'eau, portée roulante par le courant au bout d'une longue queue-de-rat, n'a rien à voir avec un insecte connu ; la mouche est travaillée en noyée et, au printemps, elle est généralement prise par le saumon sans aucune hésitation ni aucun signe à la surface de l'eau. Ce que le pêcheur attend n'est pas un gobage visible, mais une tension soudaine de la ligne par une forte traction sans équivoque. La sensation de cette touche, spécialement si elle intervient après une heure ou plus de pêche et d'attente stérile, est un grand moment de joie.

VISCOUNT GREY OF FALLODEN

Écrits de Falloden (1926)

CI-DESSUS : saumon atlantique, illustration de *British Freshwater Fishes* de Rev. W. Houghton.
À DROITE : *Salmo salar*, le saut.
PAGE DE GAUCHE : pêche du saumon au filet à l'embouchure d'un fleuve.

LE SAUMON DU PACIFIQUE
(Oncorhyncus)

La côte de l'océan Pacifique de l'Amérique du Nord est fréquentée par un certain nombre d'espèces de saumons, plus nombreuses que sur la côte Est. Cinq espèces principales se dégagent :

❖ Le pink (*Oncorhyncus gorbuscha*), de 0,9 à 2,2 kg.

❖ Le sockey ou kokanee (*Oncorhyncus nerka*), de 2,7 à 5,4 kg.

❖ Le coho ou argenté (*Oncorhyncus kisutch*), de 5,4 à 6,3 kg.

❖ Le chum (*Oncorhyncus keta*), plus de 9 kg.

❖ Le king ou chinook (*Oncorhyncus tshawytscha*), au-dessus de 45 kg ou plus.

Les saumons du Pacifique passent leur vie d'adulte en mer, et retournent à la rivière pour se reproduire. Les pinks et les sockeys sont les premiers à y arriver ; autour de la baie de Bristol en Alaska, 14 millions de sockeys peuvent remonter en juin et juillet. Plus tard, pendant leur progression, leur corps argenté vire à l'écarlate et leur tête tourne au vert. Ensuite, en août, arrivent les cohos, suivis des chums et des kings. Les cohos sont les plus combatifs de tous les saumons du Pacifique et prennent volontiers une artificielle.

Ô s'échapper, comme le saumon chinook sautant et retombant,
donnant des coups de butoir contre l'infranchissable pierre et la chute d'eau
à se rompre les os – mâchoires blessées, chairs meurtries çà et là, arrêté par
dix barreaux de l'échelle vrombissante et, enfin, franchir l'obstacle à l'ultime
tentative, tout juste assez vivant pour se reproduire et mourir.
ROBERT LOWELL : *Waking Early Sunday Morning*

Ici sur les 6 à 7 km de la rivière Campbell en aval des chutes Elk,
les saumons pinks et les truites coupe-gorge remontent en août. Dans
l'hiver, à trois jours au sud-est et une pluie intense sur Labor Day, et nous
aurons atteint les chinooks à Canyon Pool. Nous les voyons ici quelques
jours plus tard, dans la lumière du soleil d'un été indien, peut-être deux ou
trois cents grands poissons sombres, à la queue carré et au corps épais, se
tenant calmement à mi-chemin entre la surface et le fond dans dix ou vingt
pieds d'eau verte cristalline. Je l'ai toujours imaginé comme un véritable
géant, mais je ne l'ai pas vu encore…
Rien n'est plus impressionnant que la vue d'un énorme banc de chinooks
sous la surface lisse de Canyon Pool en septembre. Ils sont tellement gros,
calmes et dignes, tellement faciles à voir, ensemble tellement massifs dans
leur résolution lointaine et calme de se reproduire, si totalement dédaigneux
d'une mouche ou d'une cuiller récupérée sur eux ou parmi eux ; et ils n'ont
rien perdu de leur perfection océanique. Ils sont sombres, il est vrai, mais
leurs corps sont parfaits, épais sur le dos, formidablement puissants.
RODERICK HAIG-BROWN, *A River Never Sleeps* (1948)

EN HAUT : saumon chinook.
CI-DESSUS : saumon coho.

LA TRUITE FARIO
(Salmo trutta fario)

Originaire du nord de l'Europe, la truite fario a été introduite avec succès dans un grand nombre de pays. L'une des plus belles pêches à la truite est à découvrir en Nouvelle-Zélande et en Tasmanie. On a depuis longtemps vanté les charmes des fantastiques torrents du sud de l'Angleterre et des massifs montagneux français.

Le cycle de vie de la truite fario est le même que celui du saumon, à la seule différence qu'elle ne migre pas vers la mer. Elle vit dans une grande diversité d'habitats, des rivières et torrents aux lacs de plaine et de montagne, mais, comme toute truite, elle a besoin d'eau courante pour se reproduire. Elle se nourrit d'insectes, notamment des mouches de mai (éphéméroptères), et de petits poissons ; le pêcheur de truite doit imiter cette nourriture s'il veut réussir à la prendre.

C'était la plus belle truite que j'aie jamais vue. Pas tout à fait deux livres, mais très épaisse, trapue et large, avec une tête minuscule et une queue immense. Son dos était magnifique, d'un profond vert olive, son ventre or pâle, ses points rouges étaient gros et éclatants, et sur la totalité de ses flancs il y avait un éclat de rouge, un reflet plutôt qu'une couleur dominante, la rougeur dorée de la lumière du soleil couchant.

RODERICK HAIG-BROWN
A River Never Sleeps (1948)

CI-DESSUS : truite fario.
EN HAUT, À DROITE : truite de mer.

LA TRUITE DE MER
(Salmo trutta trutta)

Il n'y a pas de réelle différence physiologique entre truite de mer et truite fario, bien que la première, venant du large, soit de couleur argentée : les deux sont classées comme *Salmo trutta*. La différence réside dans leur comportement. Les truites de mer, comme les saumons, dévalent vers la mer au stade smolt. En général, elles ne voyagent pas très loin des rivières où elles sont nées, et elles vont s'y reproduire après un hiver passé en mer. C'est pourquoi la totalité des truites de mer remontent leur rivière au bout d'un an, contrairement au saumon, ce qui les rend très vulnérables aux maladies virales (nécroses ulcératives de la peau). La truite de mer aime l'eau tranquille et le coin de pêche idéal est un lac relié à la mer par un cours d'eau pas trop long, comme on en trouve sur les côtes ouest de l'Écosse et de l'Irlande, et dans le nord-est des États-Unis. Les truites de mer continuent à se nourrir en eau froide, mais, contrairement aux truites fario, elles se nourrissent épisodiquement et sont généralement prises avec des mouches imitant des alevins ou avec des leurres.

Toujours rapide, elle se déplace comme de la soie. Je rêve de voir cette argentée se contorsionner sur le pré. Quand elle résiste entre les rochers, elle se confond avec les autres pierres. Quand le soir tire son voile d'obscurité sur la rivière, alors, elle bondit sur les insectes.

RICHARD HUGO, *Trout*

LA TRUITE ARC-EN-CIEL
(Oncorhyncus mykiss, Salmo gairdneri)

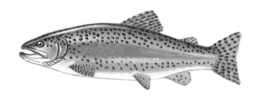

La truite arc-en-ciel, qui tire son nom de la large bande rose qui court sur ses flancs, est native des rivières de la côte ouest de l'Amérique, du détroit de Béring au golfe de Californie. Elle y partage des ancêtres avec le saumon du Pacifique, classé avec elle. On la trouve aussi en Russie, loin vers le Sud, jusqu'à la frontière chinoise. En Europe la truite arc-en-ciel, importée d'Amérique du Nord, est un poisson d'élevage, déversé avec succès dans nos eaux ; elle est classée dans le groupe *Salmo*.

Dans leurs eaux d'origine, les arc-en-ciel dévalent à la mer quand elles le peuvent, revenant comme les steel-heads, les truites de mer du Pacifique. Elles vont à la mer pour se nourrir et seules les plus fortes reviennent. Les grosses remontées de steel-heads se font dans les rivières en automne et en hiver pour se reproduire à la fin de l'hiver et au début du printemps. Peu à peu elles prennent les couleurs des arc-en-ciel qui restent ; la seule différence est leur taille. Imprévisibles, elles combattent jusqu'au bout, même prises au piège. Presque toutes les truites arc-en-ciel européennes sont élevées en pisciculture. On les pêche dans des lacs de retenue et dans les réservoirs dans le même esprit que les fario, quoiqu'elles se déplacent en bancs et qu'elles soient souvent prises avec des leurres pêchant très profond. Elles sont généralement moins regardantes que les fario.

CI-CONTRE : prise d'une truite au cœur de l'été.

LA TRUITE COUPE-GORGE
(Oncorhyncus clarki, Salmo clarki)

La coupe-gorge est une truite native de l'ouest de l'Amérique et des Montagnes Rocheuses. Vivant dans les fleuves de la côte ouest de l'Alaska au nord de la Californie, elle va en mer pour se nourrir. Elle ne s'éloigne pas beaucoup et quelques mois plus tard seulement, elle revient en eau douce en grand nombre à la fin de l'été. On la pêche généralement à la mouche.

Certaines coupe-gorge restent en eau douce toute leur vie et près des sources froides, mais leur nombre est en diminution. À part les deux taches rouges sur la gorge sous la mâchoire inférieure, les coupe-gorge varient en couleur et en taille, mais ce ne sont pas des grands poissons.

L'OMBLE CHEVALIER
(Salvelinus alpinus)

L'omble chevalier vit dans les rivières du nord de l'Europe comme un poisson anadrome qui revient dans les rivières pour se reproduire. On peut aussi le trouver comme espèce sédentaire dans des lacs d'Europe, d'Asie et d'Amérique du Nord. Il subsiste en Grande-Bretagne dans la région des lacs et dans quelques lochs en Écosse où il est généralement pris à la traîne. En France l'omble chevalier est relativement bien représenté dans les grands lacs alpins et les petits lacs de montagne. Quelques lacs irlandais abritent aussi de belles populations.

L'OMBLE DE FONTAINE
(Salvelinus fontinalis)

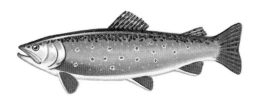

Originaire de l'est de l'Amérique du Nord, l'omble de fontaine vit dans des torrents à courant soutenu, froids et limpides. Autrefois abondant partout dans cette région, il est aujourd'hui victime de la civilisation, les bons coins de pêche étant de plus en plus rares. L'omble de fontaine a été introduit en Europe comme un poisson de remise dans les eaux de plaine ; mais il est moins rusé et donc plus facile à prendre que l'omble de fontaine d'origine.

CI-DESSUS : un pêcheur en mouche sèche lance en amont ; le crépuscule est un bon moment pour essayer un sedge dans ces pools afin de tenter la plus belle truite.

L'OMBRE COMMUN
(Thymallus thymallus, Thymallus arcticus)

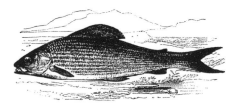

Le nom scientifique de l'ombre est Thymallus, *en raison de l'odeur de fleur de thym (en latin thymus) de sa chair.*

ROBERT HOWLETT

The Angler's Sure Guide (1706)

L'ombre a des écailles brillantes argentées et un certain nombre de bandes horizontales, de couleur violette, le long des flancs. Une nageoire dorsale géante, orange brune, constitue un signe distinctif majeur. L'ombre est largement répandu dans le nord de l'Europe ; en France, on le trouve surtout dans les Alpes, en Franche-Comté et dans le Massif central. Il est moins répandu en Amérique du Nord, mais c'est néanmoins un poisson très recherché à la fois dans les lacs et les rivières. C'est un parent du saumon, mais il se reproduit au printemps plutôt qu'en hiver. L'ombre se prend en automne, dans les rivières d'après torrent, généralement avec des mouches artificielles.

LES CORÉGONES
(Coregonus laveratus spp.)

Il y a un certain nombre d'espèces locales, membres minoritaires de la famille des salmonidés, que l'on trouve en France, en Grande-Bretagne et dans quelques autres pays d'Europe centrale, et en Amérique du Nord. Le corégone de montagne habite les lacs alpins où il vit comme un poisson grégaire rapide. Le lavaret peut peser jusqu'à 10 kg. Sa robe est argentée avec des écailles assez longues. Une nageoire adipeuse révèle la filiation avec les salmonidés. Tous les corégones européens semblent descendre de la bondelle, poisson anadrome présent surtout en Baltique. On trouve des lavarets dans certains lacs au Pays de Galles, des palées dans le Loch Lomond en Écosse et des petites marênes (*Coregonus albula*) dans le Lough Neagh. Lavarets et bondelles sont aussi présents dans les grands lacs alpins : Léman, d'Annecy et du Bourget. Ils sont pêchables à la mouche, mais surtout à fond.

CI-DESSUS : de haut en bas, petite marène, ombre et lavaret. La petite marène et le lavaret sont tous deux des corégones. On trouve des lavarets au Pays de Galles et des petites marènes dans le Lough Neagh au nord de l'Irlande.

LE BARBEAU
(*Barbus barbus*)

Le barbeau est de couleur vert bronze ; son corps est très musclé et il possède quatre barbillons. C'est un poisson puissant qui vit dans des rivières à courant rapide où il est adapté à s'alimenter sur le fond. Sa zone de prédilection se situe précisément entre les eaux très courantes et les eaux lentes. Dans les eaux françaises courantes, les barbeaux sont des poissons communs. Ils peuvent être pris avec quantité d'appâts, y compris des asticots, du fromage, de la viande préparée et des vers de terre. Ils nécessitent du matériel de pêche lourd étant donné qu'ils tirent fort et sont des combattants puissants.

L'ABLETTE
(*Alburnus alburnus*)

L'ablette est un petit poisson argenté qui vit en rivière bien qu'elle ait été introduite aussi dans quelques eaux closes. Se nourrissant en surface, elles se déplacent en bancs et peuvent être prises à la mouche aussi bien qu'au coup, à la pâte et aux asticots.

LA BRÈME
(*Abramis brama*)

Un des poissons les plus répandus en Europe, vivant en grands bancs. Les brèmes adultes ont le dos brun foncé, les flancs bronzés et le ventre crème. Elles se nourrissent souvent dans la vase profonde et elles peuvent être repérées parce qu'elles troublent la rivière près de l'endroit où elles sont en train de s'alimenter. Une brème adulte peut atteindre 50 cm et 5 kg. Elle accepte la plupart des appâts : maïs doux, pâte au pain, asticots, etc. La brème bordelière (*Blicca bjoerkna*) est présente partout en Europe du Nord ; c'est un poisson plus délicat qui ne grossit jamais beaucoup. Ses nageoires sont grises et ses écailles argentées.

CI-DESSUS : brème de Poméranie et brème bordelière, communes en Europe.

LA CARPE
(Cyprinus carpio)

La carpe commune a un dos violacé, des flancs jaune d'or et un ventre blanchâtre. Originaire de Chine, elle existe en Occident depuis des siècles. Ce fut le poisson d'élevage le plus commun dans les étangs de grossissement des monastères médiévaux. Les carpes communes sont entièrement recouvertes d'écailles, les carpes miroir ont, elles, quelques écailles le long de la ligne latérale, et les carpes cuir n'ont pas d'écailles. La pêche de la carpe est très spécialisée.

En une seule journée nous prenions environ vingt paires de carpes exceptionnellement grosses, avec des anguilles tout à fait charmantes et des tanches ; je crois que je n'oublierai jamais la perche de 45 cm de long, prise par Capt. Bien moins déterminés que le vieux monsieur, nous buvions un petit verre lorsqu'un poisson fila avec sa canne, qu'il refusa à l'évidence de perdre ; il se débarrassa de ses habits et plongea. En nageant il fut plus rapide que le poisson – je vous l'assure –, il les ressortit l'un et l'autre, ravi de récupérer sa canne.

JOHN WHITNEY
The Dedication to the Genteel Recreation : or the Pleasure of Angling,
A Poem (1700)

CI-DESSUS : une carpe commune (en bas) avec un ide mélanote et une carpe chinoise au-dessus. Le poisson rouge fait partie de la famille des carpes.

MARIGANE
(Pomoxis nigromaculatus, Pomoxis annularis)

Ce poisson spécifiquement américain peuple les eaux intérieures du Canada, du Saint-Laurent aux Grands Lacs, mais aussi de tous les États-Unis, de la côte Est à la côte Ouest en passant par les grandes plaines et jusqu'au Mexique. Rangé par les pêcheurs dans la vaste famille américaine des crapets *(crappies)*, il est apprécié tant pour sa chair que pour son caractère sportif.

LE CHEVESNE
(Leuciscus cephalus)

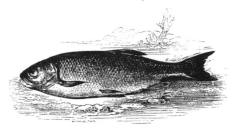

Le chevesne est un poisson de rivière grégaire, au dos noirâtre, aux flancs argentés et au ventre blanchâtre. Il préfère l'eau limpide à courant constant au-dessus d'un fond de gravier ou de sable. On le prend avec quantité d'appâts, depuis les mouches artificielles jusqu'à la viande cuite, le maïs doux et les asticots.

LA VANDOISE
(Leuciscus leuciscus)

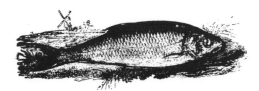

La vandoise vit dans les torrents, où son comportement impétueux lui a valu le surnom de "dard". Plus petite que le gardon – elle pèse rarement plus de 120 g –, elle vit, comme lui, en bandes. Elle se nourrit d'invertébrés et monte aussi sur les nymphes et les mouches. Son dos est noir verdâtre, ses flancs argentés, son ventre blanc.

LE GOUJON
(Gobio gobio)

Le goujon vit dans des rivières à courant faible avec des fonds de gravier. Comme le barbeau, il possède deux barbillons. C'est un très petit poisson, un goujon de 150 g est un trophée, s'adressant surtout aux jeunes pêcheurs. Il se nourrit sur le fond, affectionnant les larves d'insecte et les crevettes d'eau douce. C'est un joli poisson, dont la robe, brun verdâtre sur le dos, passe au jaune sur le ventre.

Je pêchais avec un ver de terre attaché n'importe comment sur une ligne en coton ou bien empalé sur une épingle tordue, et je mettais mon épinoche ou mon unique joli goujon moucheté dans un bocal à confitures.
EDWARD THOMAS
The Childhood of Edward Thomas, a Fragment of Autobiography (1938)

LES ANGUILLES
(Anguilla anguilla)

Les anguilles sont les plus romantiques des créatures ; elles se reproduisent à plusieurs milliers de kilomètres dans la mer des Sargasses. Dans leur voyage vers l'Europe, elles sont portées par le Gulf-Stream. Elles ressemblent alors à des feuilles transparentes. Au bout de trois ou quatre ans, elles arrivent en Europe où elles se métamorphosent, s'allongent et deviennent plus minces ; c'est alors qu'elles prennent le nom de civelles. Elles suivent la même voie que le saumon. Une anguille mâle passera jusqu'à dix ans en eau douce alors que les anguilles femelles y resteront jusqu'à dix-neuf ans. Elles retournent ensuite dans la mer des Sargasses pour se reproduire et mourir.

Au moment où les anguilles se préparent pour migrer vers leurs frayères, leur dos devient noir et leurs flancs argentés. Les yeux grandissent et les mâchoires deviennent pointues peut-être pour permettre à l'anguille de continuer à se nourrir en mer, pendant le voyage. Ensemble, civelles et anguilles adultes migreront à terre, entre cours d'eau et eaux closes qu'elles atteignent en rampant à travers les champs et même sur les routes lorsque le sol est humide. Elles peuplent les rivières, les lacs et même les moindres mares confondues parfois avec les couleuvres. Leur chair est délicieuse.

LE BLACK-BASS
(Micropterus salmoides)

C'est le poisson sportif le plus populaire en Amérique du Nord et il a été introduit en Europe où il est devenu très commun. Les black-bass peuvent être pris avec des mouches artificielles, mais plus fréquemment au lancer : le poisson nageur est alors le meilleur leurre. Il a besoin d'une eau peu profonde, envahie d'herbes, d'une température supérieure à 17 °C.

Comparé à un torrent froid à truites, un bon étang à black-bass est une jungle luxuriante, un bouillonnement de vie si dense qu'on pourrait presque marcher dessus en plein été ; un black-bass en pleine forme y mangera tout ce qu'il trouve… à moins qu'un plus gros que lui, ne le mange en premier.

JOHN GIERACH, *Trout Bum*

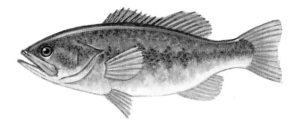

C'est une légende que de croire que l'ouïe du black-bass est si fine que, percevant le cliquetis du moulinet, il monte à la surface pour saisir l'insecte auquel il attribue le bruit.

De chaque petit coin et recoin
Les mélodies de la nature sont comme les refrains d'une chanson
Mais ces mélodies n'égalent pas le son mélodieux du moulinet

ANON
De clickin' ob de reel
XIXe SIÈCLE

LA PERCHE
(Perca fluviatilis)

Les perches vivent dans différentes eaux partout en Europe. Elles sont élégantes avec des nageoires dorsales tissées de pointes, des flancs noir verdâtre, des ventres blancs et des nageoires orange vif. Elles ont aussi d'importantes raies noirâtres sur leurs côtés. Comme le brochet, elles chassent en bancs. Une proie favorite pour les jeunes pêcheurs ; elles sont très bonnes à manger, mais plutôt pleines d'arêtes.

La perche aux yeux vifs avec des nageoires couleur de Tyr ;
L'anguille argentée, enroulée en volumes luisants ;
La carpe blonde, reposant dans un lit d'écailles d'or ;
Truites rapides, différentes avec des taches cramoisies ;
Et les brochets, tyrans des plaines humides.

ALEXANDER POPE
Windsor Forest (1713)

LE BROCHET
(Esox lucius)

Le brochet est un poisson mélancolique, nageant et vivant seul.

ROBERT HOWLETT

The Angler's Sure Guide : or Angling Improved (1706)

Le brochet, tyran de la rivière, vit comme un prédateur solitaire dans de nombreuses eaux d'Europe et d'Amérique du Nord. Les brochets se nourrissent de poissons vivants et morts, de petits mammifères aquatiques et d'oiseaux ; on les capture avec des vifs, au lancer et au poisson mort. Les meilleures pêches se font en hiver. Les brochets atteignent une taille respectable ; les mâles ne dépassent jamais plus de 4,5 kg, alors qu'on a pêché des femelles de 20 à 25 kg. Ce sont de beaux poissons au corps vert bronze sur le dessus et au ventre blanc crémeux. Ils ont des dents pointues ; il faut toujours pêcher avec un avençon métallique, et le dégorgeoir est indispensable.

CI-DESSUS : pêche au brochet depuis une barque.

LE GARDON
(Rutilus rutilus)

Les berges invitent aux rêveries d'espérances.
Ils surveillent leurs flotteurs qui rarement s'enfoncent,
Sauf quand un gardon prudent ou une brème argentée
Mordillent le ver en remontant le ruisseau,
Juste de quoi donner l'envie de persévérer
À regarder le flotteur tressauter, pour enfin s'en aller.

JOHN CLARE

Rustic Fishing (1821)

Le gardon est largement représenté en Europe où on le trouve dans de nombreuses rivières et eaux closes. C'est un poisson brillamment coloré aux flancs argentés et aux nageoires rougeâtres. On peut le prendre avec une large gamme d'appâts, mais il est très délicat et c'est un mangeur prudent à la bouche minuscule ; il est extrêmement difficile à accrocher : ferrer, c'est l'art de la pêche du gardon. Il vit en bancs et se reproduit au printemps.

LE ROTENGLE
(Scardinius erythrophthalmus)

Le rotengle est très présent en Europe où il affectionne les eaux tranquilles. C'est un très beau poisson aux flancs dorés et aux nageoires rouges. Il vit en bancs et peut être pris avec de nombreux appâts.

CI-DESSUS : ablette, gardon et rotengle.

BLACK-BASS À PETITE BOUCHE
(Micropterus punctulatus)

Ce poisson sportif est très recherché en Amérique du Nord. En Europe, il est rare si ce n'est dans quelques rivières espagnoles et portugaises. On le trouve dans des rivières froides et propres avec des fonds de gravier et dans les lacs profonds de montagne. Ce poisson a un dos doré bronzé, un ventre de couleur crème et des marques ou bandes noires verticales sur les flancs. Sa bouche se prolonge jusqu'à l'aplomb de l'œil.

LA TANCHE
(Tinca tinca)

La tanche a le dos vert olive dégradé vers un ventre doré. C'est un poisson d'été et il est associé à l'ouverture de la saison de pêche en juin. La façon classique de capturer une tanche est de rechercher les bouillons. Pâtes et maïs doux sont ses appâts favoris.

LE SANDRE
(Stizostedion vitreum)

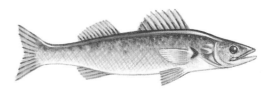

Reconnaissable à ses grands yeux opaques et vitreux, le sandre est l'un des poissons de sport les plus recherchés dans toute l'Europe. Il saute facilement sur des vifs, mais aussi sur montures à vairon aussi bien que sur de petites imitations de larves en plastique, notamment de couleur jaune.

CI-CONTRE : *La pêche*, de Francis Nys (1863-1900).

NOTES DU PÊCHEUR

DATE ....

COIN DE PÊCHE ....

MATÉRIEL ....

TEMPS ....

    TEMPÉRATURE DE L'AIR .... DE L'EAU ....

    CONDITIONS DE PÊCHE ....

    DIRECTION DU VENT ....

LA PRISE

POISSON ....

....

POIDS ....

TECHNIQUE DE PÊCHE ....

COMMENTAIRES ....

....

....

DATE ....

COIN DE PÊCHE ....

MATÉRIEL ....

TEMPS ....

    TEMPÉRATURE DE L'AIR .... DE L'EAU ....

    CONDITIONS DE PÊCHE ....

    DIRECTION DU VENT ....

LA PRISE

POISSON ....

....

POIDS ....

TECHNIQUE DE PÊCHE ....

COMMENTAIRES ....

....

....

L'Ami du Pêcheur

NOTES DU PÊCHEUR

DATE

COIN DE PÊCHE

MATÉRIEL

TEMPS ....

    TEMPÉRATURE DE L'AIR .... DE L'EAU ....

    CONDITIONS DE PÊCHE ....

    DIRECTION DU VENT ....

LA PRISE

POISSON ....

....

POIDS ....

TECHNIQUE DE PÊCHE ....

COMMENTAIRES ....

DATE

COIN DE PÊCHE

MATÉRIEL

TEMPS ....

    TEMPÉRATURE DE L'AIR .... DE L'EAU ....

    CONDITIONS DE PÊCHE ....

    DIRECTION DU VENT ....

LA PRISE

POISSON ....

....

POIDS ....

TECHNIQUE DE PÊCHE ....

    COMMENTAIRES ....

L'Ami du Pêcheur

NOTES DU PÊCHEUR

DATE ....

COIN DE PÊCHE ....

MATÉRIEL ....

TEMPS ....

    TEMPÉRATURE DE L'AIR .... DE L'EAU ....

    CONDITIONS DE PÊCHE ....

    DIRECTION DU VENT ....

LA PRISE

POISSON ....

....

POIDS ....

TECHNIQUE DE PÊCHE ....

    COMMENTAIRES ....

....

....

....

DATE ....

COIN DE PÊCHE ....

MATÉRIEL ....

TEMPS ....

    TEMPÉRATURE DE L'AIR .... DE L'EAU ....

    CONDITIONS DE PÊCHE ....

    DIRECTION DU VENT ....

LA PRISE

POISSON ....

....

POIDS ....

TECHNIQUE DE PÊCHE ....

COMMENTAIRES ....

....

....

....

NOTES DU PÊCHEUR

DATE

COIN DE PÊCHE

MATÉRIEL

TEMPS

    TEMPÉRATURE DE L'AIR   DE L'EAU

    CONDITIONS DE PÊCHE

    DIRECTION DU VENT

LA PRISE

POISSON

POIDS

TECHNIQUE DE PÊCHE

COMMENTAIRES

DATE

COIN DE PÊCHE

MATÉRIEL

TEMPS

    TEMPÉRATURE DE L'AIR   DE L'EAU

    CONDITIONS DE PÊCHE

    DIRECTION DU VENT

LA PRISE

POISSON

POIDS

TECHNIQUE DE PÊCHE

COMMENTAIRES

L'Ami du Pêcheur

NOTES DU PÊCHEUR

DATE ....

COIN DE PÊCHE ....

MATÉRIEL ....

TEMPS ....

    TEMPÉRATURE DE L'AIR .... DE L'EAU ....

    CONDITIONS DE PÊCHE ....

    DIRECTION DU VENT ....

LA PRISE

POISSON ....

....

POIDS ....

TECHNIQUE DE PÊCHE ....

COMMENTAIRES ....

....

....

....

DATE ....

COIN DE PÊCHE ....

MATÉRIEL ....

TEMPS ....

    TEMPÉRATURE DE L'AIR .... DE L'EAU ....

    CONDITIONS DE PÊCHE ....

    DIRECTION DU VENT ....

LA PRISE

POISSON ....

....

POIDS ....

TECHNIQUE DE PÊCHE ....

COMMENTAIRES ....

....

....

....

L'Ami du Pêcheur

NOTES DU PÊCHEUR

DATE

COIN DE PÊCHE

MATÉRIEL

TEMPS

    TEMPÉRATURE DE L'AIR   DE L'EAU

    CONDITIONS DE PÊCHE

    DIRECTION DU VENT

LA PRISE

POISSON

POIDS

TECHNIQUE DE PÊCHE

COMMENTAIRES

DATE

COIN DE PÊCHE

MATÉRIEL

TEMPS

    TEMPÉRATURE DE L'AIR   DE L'EAU

    CONDITIONS DE PÊCHE

    DIRECTION DU VENT

LA PRISE

POISSON

POIDS

TECHNIQUE DE PÊCHE

COMMENTAIRES

31

Matériels et Techniques

Chaque fois que vous irez à la pêche, ne négligez rien : un bon manteau
pour tous les temps ; un tapis pour poser dessus votre amorce, du gravier et
des pâtes ; une bourriche pour y mettre vos poissons ; une canne à pêche,
adaptée à la technique retenue ; deux ou trois lignes montées, de tous
modèles ; des hameçons de réserve, des émerillons, des flotteurs, une soie,
un moulinet, des plombs, une épuisette, etc.
Et si un gamin vient avec vous, un langage châtié, et une bouteille de vin
des Canaries devraient ne pas être de trop.

WILLIAM GILBERT

Gilbert's Delight (1676)

PAGE DE DROITE : *Sortie de pêche*, par Henry John Yeend King
(1855-1924).

QUE PRENDRE ?

Quand vous partez pêcher, vous devez prendre avec vous vos cannes, moulinet, ligne, fil pour lancer, hameçons, appâts et flotteur. C'est un minimum.

Le moulinet, la ligne, le fil et les hameçons sont les plus importants. Si vous oubliez votre canne, vous pouvez toujours couper une branche d'arbre ; si vous n'avez pas vos appâts, vous pouvez chercher des vers sous des pierres ou dans les bouses de vache ; si vous oubliez vos artificielles et que vous êtes un inconditionnel de la mouche, vous en trouverez bien une ou deux sur votre chapeau ou sur votre veste ! L'épuisette est plus qu'importante : si vous piquez un poisson et que vous ne l'avez pas, vous aurez peu de chance de le sortir de l'eau ; et depuis une barque elle est indispensable.

Le matériel que vous emporterez, dépend étroitement du type de sortie de pêche et du poisson que vous recherchez. Pour une compétition il faut

plusieurs cannes, des flotteurs, des hameçons de différentes tailles, des appâts variés, un siège, des épuisettes, des moulinets en réserve et de l'amorce, alors que pour passer deux heures sur votre coin à truites favori, vous

n'avez probablement besoin que d'une canne, d'un moulinet, d'une soie, d'une queue-de-rat et d'une boîte de mouches.

Bien équipé, vous augmenterez vos chances. Prenez une gamme d'appâts, un large choix d'artificielles, et du fil en plusieurs diamètres. Dans un nouveau coin, renseignez-vous

sur le poids des poissons. À chaque technique correspond une canne ; un petit ruisseau à truites dégagé du plateau de Millevaches peut nécessiter une canne ne dépassant pas 5 pieds alors que, dans le reste de la France, la majorité des ruisseaux à truites imposent une canne de 8 à 8 1/2 pieds et une rivière à saumon du Sud-Ouest une canne à mouche de 18 pieds.

Achetez toujours le meilleur matériel possible pour votre budget, en particulier des moulinets qui dureront plus longtemps. Essuyez-les, et les huilez-les en fin de saison.

EN HAUT, À DROITE : un moulinet
à truite moderne.
CI-DESSUS, À GAUCHE : un moulinet ancien.
CI-CONTRE : un vieux panier de pêche et des
poissons sur une gravure du XIXᵉ siècle.

EN HAUT, À DROITE : un râtelier de cannes et
des bouilloires dans un hôtel
de pêche irlandais.
PAGE DE DROITE : *Le coin de pêche favori du
cardinal*, par Jean Vibert (1840-1902).

LE MATÉRIEL : CONSEILS

● Changez votre Nylon tous les ans. Jetez vos vieilles bobines. À défaut, inscrivez l'année d'achat sur la bobine. Ne soyez pas étonné de perdre un gros poisson que vous venez juste de piquer, si vous pêchez avec du fil vieux de cinq ans.

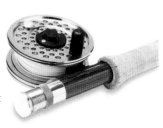

● Enroulez une nouvelle ligne avec soin sur le moulinet sous faible tension : vous éviterez ainsi les perruques, qui peuvent coincer le moulinet juste au moment où vous avez piqué un très gros poisson.

● Pour le saumon et la truite, vous aurez intérêt à dérouler toute sa longueur pour éliminer les torsades de la nouvelle ligne.

-DESSUS : *Une célébrité du village,* par Walter Dendy Sadler (1854-1923).

● Les hameçons doivent être piquants ; emmenez un aiguisoir à hameçons dans votre boîte de pêche.

● L'épuisette doit être aussi grande que possible. Il est indispensable qu'elle se déplie correctement. N'achetez jamais une épuisette avec une bretelle molle en cuir ou en ficelle sur le devant. Inspectez-la de temps en temps pour vérifier si les trous ne se seraient pas agrandis. Le poisson pourrait alors en profiter et s'échapper.

● Ciseaux et dégorgeoirs sont importants, mais pas essentiels sauf si vous pêchez le brochet ; dans ce cas, il vous faut également un bâillon ; pour les autres poissons une pince à usage multiple suffit largement pour extraire les hameçons.

EN HAUT, À GAUCHE ET AU CENTRE, À DROITE : ces cannes modernes et ces moulinets sont légers, efficaces et puissants.
DESSINS : couteau, dégorgeoir et ciseaux du *Guide Hardy du Pêcheur* de 1934 et 1937.

LE LANCER

*T*ous les pêcheurs doivent apprendre à lancer. Pour les techniques ordinaires, le pêcheur place simplement sa ligne dans le sens du courant ; il n'en est pas de même à la mouche.

Les principes d'un lancer ordinaire sont apparemment simples. Avec la canne on lance la ligne, au bout de laquelle se trouve un leurre. Pour lancer un appât, exercez-vous tout d'abord avec une ligne courte. Balancez l'appât par-dessus votre tête, sous la main ou de revers ; le poids de l'appât le porte au-dessus de la rivière et la ligne sort du moulinet, manuel ou démultiplié, l'un ou l'autre permettant à la ligne de se dévider sans frottement. Avec un peu d'entraînement, la plupart des pêcheurs y arrivent parfaitement. Un spécialiste peut réaliser des prodiges de distance et de précision.

Lancer une mouche, noyée ou sèche, avec une canne à truite ou

À DROITE ET CI-DESSUS : illustrations provenant du *Dry Fly Fishing in Theory and Practice*, par F. M. Halford.

Lancer par-dessus la tête.

La fin d'un lancer roulé.

à saumon, est moins évident, bien que les éléments essentiels soient les mêmes. Le pêcheur doit utiliser le nerf et la puissance de la canne pour propulser la ligne et la mouche vers l'eau. Cela demande un certain rythme qui permet à la soie de s'étendre derrière le pêcheur pour être ensuite propulsée vers l'avant. Bien lancer demande de la pratique et tout vrai moucheur devrait s'entraîner dans l'herbe, sur une cible bien précise, comme une assiette posée sur l'herbe, essayant de poser la mouche le plus délicatement possible.

CONSEILS POUR LE LANCER

● Ne tirez pas trop la canne en arrière, essayez de ne pas la laisser dépasser la verticale et tenez-la presque droite.
● Ne soyez pas affolé par la forme que va prendre la canne : utilisez le maximum de force pour envoyer la mouche en arrière et pour la lancer.
● Laissez la soie s'étendre derrière vous et marquez un temps d'arrêt quand la mouche est au sommet du lancer.
● Entraînez-vous souvent ; c'est la clé de la réussite.

TECHNIQUES DE PÊCHE

LA PÊCHE À LA MOUCHE

La pêche à la mouche est la meilleure technique pour prendre un saumon, une truite et un ombre.

Pour pêcher en mouche sèche, l'imitation de l'insecte naturel doit être lancée en amont, pour être poussée vers l'aval par le courant, vers un poisson en chasse que vous aurez vu moucher. Vous pouvez alors espérer que le poisson fasse l'erreur de prendre la mouche artificielle pour une vraie. Dans les petits ruisseaux à courant soutenu, la truite montera très vite sur la mouche, et la difficulté est souvent de la ferrer assez vite. Dans des ruisseaux à courant lent, c'est le contraire ; le poisson monte doucement sur la mouche et, dans ce cas, la difficulté est de ferrer assez lentement.

À la pêche à la nymphe, le but est d'imiter une nymphe qui monte à la surface de la rivière. Celle-ci est prise sous l'eau et il ne faut pas anticiper la touche, en surveillant le bout de votre bas de ligne ; s'il s'arrête, ferrez. Parfois vous verrez un poisson tourner dans l'eau vers votre mouche et vous devrez ferrer de nouveau ; quelquefois votre nymphe sera si proche de la surface que vous verrez la touche sous la forme d'un gobage.

La pêche à la mouche noyée est pratiquée dans de nombreuses rivières et eaux closes, avec seulement deux mouches artificielles, conformément à la réglementation en vigueur. Elles peuvent, l'une ou l'autre, être présentées en aval, quand le courant pousse les mouches en arc de cercle, ou trois quarts amont. Les mouches utilisées représentent des nymphes et le pêcheur doit prospecter tous les postes possibles dans la rivière, laissant ses mouches passer au-dessus des

pierres et sous les berges. En eaux closes, le pêcheur anime les mouches en les ramenant vers lui, qu'il soit sur la berge ou en bateau. La pêche traditionnelle en lac depuis un bateau, qui consiste à lancer une ligne assez courte avec une canne assez longue et à promener la mouche de pointe à la surface de l'eau où elle monte et descend en suivant les sommets des vagues, peut être très rentable pour attraper une truite, mais également pour une truite de mer.

Le dapping en lacs ou en eaux closes est une autre forme de pêche à la mouche. Une soie légère est poussée par le vent devant le bateau, et le pêcheur fait sauter à la surface de l'eau une grosse mouche du type *Daddy Longlegs*.

Pour la pêche au saumon, le pêcheur mise sur la faim du poisson, en utilisant une "mouche" ressemblant à un petit poisson, nageant sporadiquement dans le courant : un streamer. Laissez-le partir et récupérez par à-coups de quelques centimètres à la fois. La progression du streamer doit être plus lente en été que le reste de l'année.

EN HAUT : pêche à la mouche noyée.
CI-DESSUS : un flotteur à côté d'un banc de roseaux.

LA PÊCHE AU COUP

À la pêche au coup, le flotteur se déplace à la surface de l'eau avec l'appât qui est suspendu en dessous. C'est la façon la plus efficace de présenter l'appât à un certain nombre de poissons, notamment aux cyprinidés. Il existe une grande variété de flotteurs adaptés à tous les types d'eau et aux différentes méthodes de pêche au coup. Lorsque le flotteur remue et plonge sous

l'eau, tiré vers le bas par le poisson invisible, laissant prévoir la capture, l'excitation du pêcheur est à son comble. Les formes, tailles, couleurs sont innombrables. Certains flotteurs sont conçus pour se soulever suffisamment quand un poisson prend l'appât depuis le fond pour que l'on puisse ferrer dès que l'antenne du flotteur monte.

Les techniques de pêche sont nombreuses et variées. La clé de la réussite dépend de la capacité du pêcheur à s'adapter aux conditions particulières du moment.

LE LANCER

Un leurre lancé peut permettre de prendre des saumons, des truites, des truites de mer, des perches, des brochets et des sandres. Quand vous moulinez, le leurre travaille comme un petit poisson. Cette technique de pêche convient bien aux espèces prédatrices. Le leurre peut être travaillé en amont ou en aval et le pêcheur expérimenté sera capable de prospecter tous les postes possibles de son coin de pêche. On peut pêcher au lancer avec un petit poisson sur une monture, mais les leurres les plus utilisés sont des poissons maniés, des cuillers et des poissons-nageurs.

CI-DESSUS : pêcher sur une berge tranquille peut être très relaxant.

CI-DESSUS : pêche à la posée dans un lac.

LA PÊCHE À LA POSÉE ET AU VIF

Ces techniques permettent de tenir un appât sur ou près du fond. Le pêcheur est en contact permanent avec son appât et les touches sont enregistrées par le quivertip ou le scion de la canne, ou encore par le contact de la main sur le fil. Le plomb maintient l'appât dans une position précise dans l'eau et la profondeur ne joue aucun rôle.

MOUCHES ET TECHNIQUES DE PÊCHE

La truite vigilante qui va se poster dans peu d'eau,
Montera sur une mouche bien imitée.

HENRY WOTTON

On a Bank as I Sate A-fishing (1651)

Il n'y a pas de plus grand plaisir pour un pêcheur que de pêcher une truite. Le grand moucheur lance au poisson une combinaison de plumes et de fils montés pour imiter un insecte naturel si légèrement et avec tant de précision que le poisson ne peut y résister.

Les pêcheurs à la mouche en eau calme et les puristes qui travaillent à la mouche sèche en torrent sont souvent en désaccord. Les premiers prétendent que les meilleures artificielles pour la truite arc-en-ciel, particulièrement en eaux closes et en réservoirs, sont des leurres de formes et tailles excentriques. Et ils ont raison : un grand nombre de poissons sont pris avec des créations criardes, et beaucoup vont même jusqu'à leur présenter des streamers et des imitations de larves de libellule, ou des mouches "spéciales réservoir". Les truites arc-en-ciel seront incitées à attaquer un leurre, mais les résultats seront meilleurs encore si vous pêchez toujours avec l'imitation de la mouche dont les truites se nourrissent ordinairement.

Les rivières sont toutes différentes. Il y a celles où l'on peut voir les poissons et celles où on ne peut pas les voir, celles où on peut habituellement voir les mouches prises. Les mouches les plus importantes à connaître pour le pêcheur sont les éphéméroptères, les fameuses "mouches de mai" ou "olives".

CI-DESSUS : matériel pour montage de mouches.
CI-DESSUS, DROITE : pêche à l'ombre sur un ruisseau du sud de l'Angleterre.

En général le nom de mouche de mai est spécialement utilisé pour *Ephemera danica*, qui éclôt en mai. Après leur naissance, les éphéméroptères passent par trois stades qui, tous, présentent un intérêt pour le pêcheur. Les œufs, posés à la surface de l'eau, descendent vers le fond où ils se fixent d'eux-mêmes aux algues ou aux pierres. Ils donnent naissance à de petites nymphes qui vivent sur le lit de la rivière jusqu'à leur

Il est indubitable que la pêche est un art ; n'est-ce pas un art de tromper une truite avec une mouche artificielle ? Une truite ! C'est une vue plus perçante que celle d'un faucon, plus vigilante et prudente que votre marlin si fougueux est audacieux ?

IZAAC WALTON AND CHARLES COTTON

Le Parfait pêcheur (Édition de 1676)

CI-DESSUS : accrochage d'une nouvelle mouche.

maturité, moment où elles montent vers la surface de l'eau. Les truites mangent les nymphes pendant qu'elles montent. Pour le pêcheur, prendre une truite en lui présentant la nymphe dont elle se nourrit est le summum de l'art. Les moucheurs, pêchant avec des mouches noyées dans des ruisseaux à courant soutenu sont à la recherche de truites se nourrissant de nymphes ; certains des modèles de mouches noyées les plus connus sont en fait des imitations de nymphes.

En atteignant la surface, la nymphe se change en dun, ou en subimago. Les ailes s'ouvrent et la mouche flotte à la surface en descendant la rivière. L'éclosion, ou "émergence", est le moment que tous les pêcheurs attendent. Tout ce qu'il y a à faire, est d'identifier le type de mouche pris par les truites, de prendre la bonne imitation et de lancer doucement, avec précision. La chose est plus facile à dire qu'à faire !

Le stade final de la vie de la mouche de mai est sa transformation en imago, la mouche dans toute sa maturité. Après l'accouplement, la femelle retourne à la rivière pour pondre ses œufs avant de mourir. Elle flotte en descendant la rivière, parfois à demi-immergée, les ailes déployées en croix. Des truites se nourrissent très souvent en soirée de ces mouches mortes, appelées spent ou spinner. On trouve des spinners mâles, mais ils sont de moindre intérêt pour les truites qui chassent.

MOUCHES NOYÉES ET NYMPHES LES PLUS UTILISÉES	
EN RIVIÈRE	Snipe and Purple : une imitation de la nymphe iron blue Greenwell's Glory : une imitation générique de la nymphe olive Pheasant Tail Partridge and Orange Blae and Black : bonne en mai quand la mouche éclose a un corps noir hachuré Hare's Ear : une imitation d'une olive hachurée March Brown Green Drake Zug Bug Leadwing Coachman Stonefly
EN LAC	Blue Zulu Invicta Soldier Palmer Coch y bhondu Heather Sedge Buzzer Nymph
EN RÉSERVOIR	Buzzer Nymphs : imitations de larves de moucheron Corixa : imitations de coléoptères aquatiques Damselfly Nymphs
MOUCHES SÈCHES LES PLUS UTILISÉES	
	Iron Blue Dun Olive Quill Black Gnat Cahill Hendrickson Quill Gordon Royal Coachman White Wulff Kite's Imperial N'importe quelle mouche de mai durant les éclosions en mai

LA PÊCHE AU SAUMON

La pêche au saumon est une succession de hasard, de bonheur et de catastrophes. Comme les saumons ne se nourrissent pas quand ils sont en eau douce, le pêcheur doit tenter de stimuler l'instinct de nutrition du saumon, en lui rappelant l'époque de son enfance où, tacon (en rivière ou en mer), il se nourrissait de menu fretin et de plancton. Certaines conditions de l'eau et de temps y sont plus favorables. Les saumons peuvent être pris avec un appât, généralement un ver de terre, une crevette ou un bouquet, ou avec des poissons-nageurs et des mouches.

Les mouches à saumon sont totalement différentes des mouches à truite. Leur taille est bien supérieure à celle de la mouche naturelle. Beaucoup de pêcheurs de saumon expérimentés pêchent par ailleurs toute l'année avec une seule mouche. De très nombreux pêcheurs de saumons ont leur modèle favori auquel ils restent fidèles.

Plus l'eau est chaude, plus la mouche doit être petite. Un grand nombre de pêcheurs de saumons fait l'erreur de pêcher avec des mouches trop grosses. Pêcher des saumons à la mouche dans des rivières puissantes comme les gaves du Sud-Ouest et les fleuves côtiers breton et normand, est un sommet de l'art.

Les mouches à saumon ont changé. Il fut un temps où c'était de magnifiques compositions de plusieurs plumes exotiques ; leurs noms exprimaient leur beauté et elles embellissaient le roman de la pêche du saumon : "J'ai pris mon plus beau saumon avec une *Green Highlander*", entendait-on dire, ou "Il est tombé pour *Lady Caroline*". Aujourd'hui les mouches sont plus simples et laissent moins de place à la romance.

**MOUCHES À SAUMON
CONSEILLÉES**

Stoat's Tail and Silver Stoat's
    Tail
Tadpole
Black and Yellow
Shrimp
Willie Gunn
De préférence en été :
Hairy Mary
Blue Charm
Black Bomber
Black Wulff
Jock Scott
Red Butt
Cooseboom
Butterfly

CI-DESSUS, À GAUCHE : d'anciennes mouches à saumon.
CI-DESSOUS : pêche à la mouche du saumon sur une rivière des Highlands en Écosse.

LES APPÂTS

Avec un simple ver

C'est avec cet appât qu'a souvent été pris
Le saumon, plus bel hôte de la rivière ;
Le Shad qui tombe avec le printemps,
Le Suant à la course si rapide qu'il n'est jamais piqué,
Le doux Bocher, la plaisante Flounder,
Peele le charmeur, Battling et quelques-uns encore ;
Avec beaucoup d'autres, leur âme repose dans les fonds de l'Avon, de l'Uske,
de la Severne et de la Wye.

JOHN DENNYS
The Secrets of Angling (1613)

Le nombre d'appâts est comme l'imagination des pêcheurs : sans limite. Tout dépend du poisson à prendre un jour donné. Idéalement, le pêcheur devrait prendre le temps qu'il faut pour observer. En fait, on peut prendre presque toutes les espèces de poissons d'eau douce avec un ver de terre ou un asticot. Les seules exceptions sont les prédateurs, brochet, poisson-chat, et sandre, qui préfèrent des appâts morts tels que des éperlans ou des morceaux de hareng. Les limaces, écrevisses et grenouilles sont d'autres appâts naturels, mais dont l'utilisation est généralement interdite.

Croûte et mie de pain, viande cuisinée et pâte de fromage ont tous prouvé leur efficacité, et des appâts en grains sont maintenant admis. Ils doivent toujours être mouillés ou bouillis. Ils sont aussi utilisables pour l'amorçage. Ce sont des graines de chanvre, du maïs doux, des cacahuètes, de la purée de pois cassés, du sirop d'érable, des bouillettes pour carpe, et même des biscuits pour chien.

Quelques poissons montrent des préférences pour certaines nourritures. Les barbeaux trouvent souvent irrésistible une grappe d'asticots, les chevesnes ont un faible pour le pain et les limaces, les carpes aiment beaucoup la mie de pain mélangée au miel et à des morceaux de fromage, elles sont même tentées par un biscuit sec pour chien lancé au-dessus d'elles comme une mouche sèche.

L'amorçage est une partie de l'art de pêcher et c'est un savoir-faire qu'il faut apprendre. Son utilité est d'attirer le poisson sur votre poste et de stimuler son appétit. Des mélanges tout faits sont disponibles dans les magasins spécialisés et ils peuvent être ajoutés à de la chapelure une fois les poissons attirés sur le poste. Vous aurez besoin d'ajouter de très petites quantités de terre à l'amorce pour la tenir sur place.

Des leurres artificiels sont aussi très utilisés : il y a de grandes gammes de poissons-nageurs, de cuillers, tournantes et ondulantes, disponibles pour les pêcheurs.

Quand vous pêchez dans une eau pour la première fois, utilisez un appât dans lequel vous avez confiance, puis n'hésitez pas à en changer s'il ne donne rien, jusqu'à trouver le bon.

CI-DESSUS : des cuillers pour saumon et brochet.

L'Ami du Pêcheur

NOTES DU PÊCHEUR

DATE ....

COIN DE PÊCHE ....

MATÉRIEL ....

TEMPS ....

    TEMPÉRATURE DE L'AIR .... DE L'EAU ....

    CONDITIONS DE PÊCHE ....

    DIRECTION DU VENT ....

LA PRISE

POISSON ....

....

POIDS ....

TECHNIQUE DE PÊCHE ....

COMMENTAIRES ....

....

....

DATE ....

COIN DE PÊCHE ....

MATÉRIEL ....

TEMPS ....

    TEMPÉRATURE DE L'AIR .... DE L'EAU ....

    CONDITIONS DE PÊCHE ....

    DIRECTION DU VENT ....

LA PRISE

POISSON ....

....

POIDS ....

TECHNIQUE DE PÊCHE ....

COMMENTAIRES ....

....

....

L'Ami du Pêcheur

NOTES DU PÊCHEUR

DATE ....

COIN DE PÊCHE ....

MATÉRIEL ....

TEMPS ....

    TEMPÉRATURE DE L'AIR .... DE L'EAU ....

    CONDITIONS DE PÊCHE ....

    DIRECTION DU VENT ....

LA PRISE

POISSON ....

....

POIDS ....

TECHNIQUE DE PÊCHE ....

COMMENTAIRES ....

....

....

DATE ....

COIN DE PÊCHE ....

MATÉRIEL ....

TEMPS ....

    TEMPÉRATURE DE L'AIR .... DE L'EAU ....

    CONDITIONS DE PÊCHE ....

    DIRECTION DU VENT ....

LA PRISE

POISSON ....

....

POIDS ....

TECHNIQUE DE PÊCHE ....

COMMENTAIRES ....

....

....

L'Ami du Pêcheur

NOTES DU PÊCHEUR

DATE ....

COIN DE PÊCHE ....

MATÉRIEL ....

TEMPS ....

    TEMPÉRATURE DE L'AIR .... DE L'EAU ....

    CONDITIONS DE PÊCHE ....

    DIRECTION DU VENT ....

LA PRISE

POISSON ....

....

POIDS ....

TECHNIQUE DE PÊCHE ....

COMMENTAIRES ....

....

....

....

DATE ....

COIN DE PÊCHE ....

MATÉRIEL ....

TEMPS ....

    TEMPÉRATURE DE L'AIR .... DE L'EAU ....

    CONDITIONS DE PÊCHE ....

    DIRECTION DU VENT ....

LA PRISE

POISSON ....

....

POIDS ....

TECHNIQUE DE PÊCHE ....

COMMENTAIRES ....

....

....

NOTES DU PÊCHEUR

DATE ....

COIN DE PÊCHE ....

MATÉRIEL ....

TEMPS ....

    TEMPÉRATURE DE L'AIR .... DE L'EAU ....

    CONDITIONS DE PÊCHE ....

    DIRECTION DU VENT ....

LA PRISE

POISSON ....

....

POIDS ....

TECHNIQUE DE PÊCHE ....

COMMENTAIRES ....

....

....

DATE ....

COIN DE PÊCHE ....

MATÉRIEL ....

TEMPS ....

    TEMPÉRATURE DE L'AIR .... DE L'EAU ....

    CONDITIONS DE PÊCHE ....

    DIRECTION DU VENT ....

LA PRISE

POISSON ....

....

POIDS ....

TECHNIQUE DE PÊCHE ....

COMMENTAIRES ....

....

....

NOTES DU PÊCHEUR

DATE ....

COIN DE PÊCHE ....

MATÉRIEL ....

TEMPS ....

    TEMPÉRATURE DE L'AIR .... DE L'EAU ....

    CONDITIONS DE PÊCHE ....

    DIRECTION DU VENT ....

LA PRISE

POISSON ....

....

POIDS ....

TECHNIQUE DE PÊCHE ....

COMMENTAIRES ....

....

....

....

DATE ....

COIN DE PÊCHE ....

MATÉRIEL ....

TEMPS ....

    TEMPÉRATURE DE L'AIR .... DE L'EAU ....

    CONDITIONS DE PÊCHE ....

    DIRECTION DU VENT ....

LA PRISE

POISSON ....

....

POIDS ....

TECHNIQUE DE PÊCHE ....

COMMENTAIRES ....

....

....

....

NOTES DU PÊCHEUR

DATE ....

COIN DE PÊCHE ....

MATÉRIEL ....

TEMPS ....

      TEMPÉRATURE DE L'AIR .... DE L'EAU ....

      CONDITIONS DE PÊCHE ....

      DIRECTION DU VENT ....

LA PRISE

POISSON ....

....

POIDS ....

TECHNIQUE DE PÊCHE ....

COMMENTAIRES ....

....

....

DATE ....

COIN DE PÊCHE ....

MATÉRIEL ....

TEMPS ....

      TEMPÉRATURE DE L'AIR .... DE L'EAU ....

      CONDITIONS DE PÊCHE ....

      DIRECTION DU VENT ....

LA PRISE

POISSON ....

....

POIDS ....

TECHNIQUE DE PÊCHE ....

COMMENTAIRES ....

....

....

Aller Pêcher

Dans la nuit je rêvais que je pêchais la truite ; et alors que je m'éveillais,
encore dans un demi-sommeil, tout cela semblait réalité et j'avais
l'impression que le poisson à la robe mouchetée nageait tout près de mon lit,
qu'il montait sur nos hameçons d'hier soir ; et je me demandais si j'avais
rêvé. Aussi me levais-je avant l'aurore pour le vérifier, alors que mes
compagnons dormaient tranquillement. La Ktaadn était là, avec ses contours
nets, sous un clair de lune sans nuage ; et le murmure des rapides était
le seul bruit troublant le silence. Debout sur la rive, je lançais une fois
de plus ma ligne dans le ruisseau, et le rêve devint réalité et l'histoire
authentique. La truite mouchetée et le gardon argenté, comme des poissons
volants, fendaient l'air du clair de lune à toute vitesse, décrivant des arcs
de cercle brillants sur la face sombre de la Ktaadn…

HENRY DAVID THOREAU
The Union Magazine (1848)

CI-CONTRE : *Un jeune pêcheur*
par Henry John Yeend King (1855-1924).

RIVIÈRES, RUISSEAUX ET CANAUX

*I*l y a quelque chose de magique dans l'eau courante des ruisseaux bondissants et débordants au printemps qui abritent la petite truite pressée de saisir un ver, mais aussi dans les vastes pools à saumon des rivières d'Aquitaine et du Massif central, comme dans les cours d'eau lents des plaines et du littoral. Chaque pêcheur, homme ou femme, aura sa rivière favorite, un cours d'eau sur lequel il aura connu (toujours avec plaisir) réussites et échecs.

Les poissons, comme les hommes, apprécient un habitat confortable où la nourriture est facile à trouver. Dans les ruisseaux à courant rapide, les poissons resteront donc derrière les rochers et les grosses pierres, dans des trous sous les berges, et sur les bords du courant, où ils pourront facilement intercepter quelques mouches et insectes poussés vers eux. Faites très attention aux contre-courants et

aux tourbillons ! Les poissons changent de poste quand le niveau de la rivière monte. La pression croissante de l'eau est si inconfortable pour eux qu'ils se déplacent vers les berges et l'eau la plus calme.

Certains poissons, les saumons en particulier, changent de poste au cours de l'année en fonction du niveau de l'eau. Quand l'eau est froide au printemps, ils se calent dans les pools les

CI-CONTRE : pêche à la truite près d'Oberammergau, en Allemagne.

plus profonds ; en été, ils recherchent l'eau la plus vive. En automne, alors que l'envie de se reproduire les titille, ils se laissent glisser vers les larges plats de gravier, en queue des pools.

En été, beaucoup de poissons trouvent refuge dans les herbiers et en sortent la nuit pour se nourrir sur les bancs peu profonds tapissés de gravier. Cela concerne surtout le gardon, le barbeau et le chevesne. Des arbres tombés et des racines bloquent débris et nourriture et abritent presque toujours des poissons. Les pools de barrage sont des repaires privilégiés en été. Même s'il connaît bien les postes des poissons, le pêcheur doit être capable de lire l'eau pour localiser les postes probables où se trouvera la proie recherchée.

Le canal est un endroit magnifique avec des bancs de joncs, une végétation abondante, des buissons qui embrassent parfois l'eau, sur l'autre berge, et quantité de chants d'oiseaux…

Je pêche toujours l'écluse, laissant descendre un petit ver dans l'eau trouble et profonde, et en général j'obtiens une touche ou deux. Si les choses étaient bien faites, je prendrais une perche à chaque visite, mais en fait, je n'ai jamais rien pris d'autre dans l'écluse que des chevesnes et des vandoises. Une fois j'ai piqué une grosse truite avec une mouche, et je me suis demandé pendant un moment d'angoisse comment j'allais la sortir, puisque mon épuisette était trop courte pour atteindre l'eau, et les portes les plus basses, habituellement ouvertes à gauche, se trouvaient être fermées. La truite trouva la solution pour moi en se sauvant.
H. T. SHERINGHAM, *Coarse Fishing* (1912)

*L*es canaux sont un peu comme des rivières sans courant. Pour savoir où pêcher, il suffit de regarder les berges et les bancs de roseaux, en observant le mouvement des poissons et en surveillant les pêcheurs du coin : les canaux sont affaires d'autochtones.

LACS, RETENUES ET RÉSERVOIRS

J'aime Blagdon, non seulement parce qu'on y prend de grands poissons, mais parce qu'on y a toujours été heureux… C'est un réservoir artificiel, c'est vrai, mais c'est seulement l'extrémité ouest qui dévoile ce secret… Vous pouvez vous asseoir sur l'herbe dans une douzaine d'endroits autour du rivage et jurer que vous êtes sur les bords d'un des plus jolis lacs naturels de Grande-Bretagne…

Je sais, trop, qu'il y avait autrefois une sorcière dans la vallée et qu'ils la noyèrent quand ils laissèrent monter l'eau ; et une nuit comme je cherchais le chemin pour rentrer chez moi dans l'obscurité, je suis tombé sur Hänsel et Gretel endormis sur l'herbe dans un voile d'anges blancs, avec une myriade de millions d'étoiles de la Voie lactée et les lumières dorées de Blagdon, brillant sur leurs têtes et scintillant dans le miroir d'eau à leurs pieds.

HARRY PLUNKET GREENE
Where the Bright Waters Meet (1924)

LOCH ! – nous aimons ce mot LOCH, utilisé pour désigner en Écosse ces étendues d'eau bordées de collines. Lac serait un mot trop faible, trop fade, une épithète futile. Il n'a rien à voir avec des montagnes et des précipices, des landes et des forêts. Tout cela est beau ! Très beau ! Windermere est très beau, Denwent Water est très beau ; Buttermere, Ullswater et Coniston sont très beaux ; parmi les collines – car ce ne sont pas les vraies montagnes écossaises –, ce ne sont pas des déserts, mais des châteaux pour la tempête et pour les aigles.

THOMAS TOD STODDART
The Art of Angling, As Practised in Scotland (1835)

Les lacs et réservoirs sont une autre affaire. Il faut les travailler, les pêcher sans cesse avant de commencer à comprendre où se postent les poissons et comment les prendre. Une vaste étendue d'eau inconnue est une perspective intimidante. Vous avez juste à être patient et à vous armer d'espoir, à pêcher au pied de la rive, du barrage et du bord, autour des souches et à côté des bancs de roseaux. Surveillez les autres pêcheurs, observez où ils vont. Faites attention à la courbure de leurs cannes pour voir s'ils ont de la chance.

EN HAUT, À DROITE : pêche en lac de retenue, en réservoir.
CI-CONTRE : *Pêche en lac* par Charles Leslie (1835-63).

CELUI QUI EST PARTI

C'est le poisson que l'on n'a pas eu qui reste le plus longtemps dans notre mémoire, et qui saisit nos pensées chaque fois que nous nous rappelons les jours de pêche. Le poisson le plus courageux, une fois mangé, est oublié, mais le poisson qui nous a éreintés après une folle et glorieuse bagarre et qui nous a quitté en frétillant de façon vexante, une fois piqué, est perdu pour plusieurs années.

A. H. CHAYTOR
Letters to a Salmon Fisher's Sons (1910)

De toutes les histoires que les pêcheurs racontent, la plus courante, et celle à laquelle on croit le plus, est celle du poisson perdu. Pourquoi, demandent les gens, est-ce toujours le plus gros poisson qui s'est échappé ? De toutes les histoires de pêche, c'est la plus plausible. La raison en est simple. Le pêcheur qui accroche un poisson vraiment très gros entre dans un univers inconnu : son matériel peut casser à tout moment sous l'effet d'une tension extraordinaire, quand la ligne file, et que ses nerfs et sa maladresse risquent de causer le pire, au dernier moment. Le plus souvent tout est la faute du pêcheur. Quand on joue avec le poisson de sa vie, il ne faut pas être impatient. Même au bout d'une heure ou plus, restez calme, patient, et prenez tout votre temps. L'hameçon peut lâcher, le lancer peut se casser, mais pas vous ! Car vous restez votre meilleure chance de réussite.

EN HAUT, À DROITE : truite montant sur une mouche.
CI-DESSOUS : *Jeudi* par Walter Dendy Sadler (1854-1923).

PÊCHER EN HIVER

La pêche hivernale n'a peut-être pas le charme de la pêche estivale, bien qu'elle offre tout de même de nombreuses possibilités. Dans le nord de l'Écosse – mais pas en France – la pêche du saumon est ouverte sur plusieurs rivières dès le 12 janvier et sur le Loch Tay, la saison ouvre même traditionnellement quand sortent les bateaux le jour du nouvel an. Un saumon atlantique pris dans les premiers mois de l'année est un exploit car c'est l'époque où la rivière est la moins poissonneuse ; les eaux sont limpides et froides, grossies par la fonte des neiges des collines alentour et le temps est souvent rigoureux et mauvais, si froid que la ligne gèle dans l'anneau de tête de la canne.

Quelques poissons arrivent au meilleur de leur forme en hiver – gardon, rotengle et chevesne –, tous ceux qui peuvent sembler efflanqués et sans énergie quand ils sont pris en été, sont souvent de vaillants lutteurs en hiver. Une belle et douce journée d'hiver est ce qu'il y a de mieux dans une rivière haute, courante, ensoleillée et pas trop froide.

CI-DESSUS : pêcher l'ombre, à la mouche en hiver.

La crème de la pêche en hiver, néanmoins, est celle du brochet. Un vieux pêcheur disait "décembre bon, janvier mieux, février le meilleur". Pourtant, même en hiver, la pêche au brochet est incertaine. Vous ne pouvez pas dire à l'avance ce que sera une bonne journée, ou une mauvaise, même en pêchant le plus possible. Tout dépend de la température et d'où en sont les brochets dans leur cycle alimentaire. Souvent, le brochet se rapproche des berges où il peut être pris au poisson mort. Un appât récupéré, pêchant juste sous le scion, est l'une des meilleures façons de prospecter les bons postes. Beaucoup de brochets sont pris au lancer, souvent aux poissons-nageurs, sur lesquels un brochet affamé saute comme une flèche. La meilleure façon de pêcher le brochet en hiver est sans doute d'utiliser la bonne vieille technique du poisson mort manié. Ici l'appât est généralement un poisson mort, gardon ou vandoise, qui doit être déplacé sur le fond de la rivière, sans trajectoire précise, au-dessus des postes probables, manié de façon à plonger vers le fond et à remonter ensuite vers la surface, simulant les mouvements d'un poisson en train de mourir. N'utilisez pas un vif trop grand et ferrez dès que le poisson est attaqué.

Tôt le matin, quand tout est rendu cassant par le gel, les hommes arrivent avec des moulinets de pêche et un repas léger ; ils posent leurs lignes délicates sur un champ enneigé (le lac gelé) pour prendre brochets et perches…

Ah ! Ces brochets de Walden ! Quand je les vois allongés sur la glace ou dans le trou que les pêcheurs font dans la glace, créant une petite fontaine pour laisser passer l'eau, je suis toujours surpris de leur rare beauté, comme si c'étaient des poissons fabuleux… Ils ne sont pas verts, comme les pins, pas gris comme les pierres, ni bleus comme le ciel, mais ils ont, à mes yeux des couleurs plus rares encore, comme des fleurs, et des pierres précieuses, comme si c'étaient des perles…

HENRY DAVID THOREAU, *Walden, or Life in the Woods* (1854)

PÊCHER AU PRINTEMPS

Les saumons sont maintenant revenus vers les cours d'eau en plus grand nombre, et la pêche au saumon de printemps est à célébrer à juste titre comme l'un des plus fins de tous les sports ; mais au printemps les vrais pêcheurs se consacrent à la truite.

Pour profiter pleinement de la pêche à la truite, il faut vraiment vivre près d'une rivière où vous pourrez pêcher régulièrement, apprendre le trajet des insectes et des poissons. La pêche peut alors procurer un plaisir indicible.

C'était un de ces jours que mai réserve parfois. Le soleil brillait, le ciel était bleu et argent, la brise était légère et les arbres d'une nuance différente du vert. Les prairies souvent inondées étaient éclatantes de fleurs. L'or limpide du bouton d'or perdait de son éclat, mais il y avait le mouvement flottant du lilas, le délicat coucou pendant que, dans les endroits plus secs, des primevères d'un jaune chaud se mélangeaient avec des orchidées violet foncé. La large Test coule pleine, rapide et pure.

Je commençais à dix heures du matin…

Était-ce mon poisson ? Oui, je pense que c'était lui. Je rembobinais un peu, me préparant à aller vers lui quand mon subconscient parla. Il dit, n'oublie pas ; rappelle-toi ton premier gobage ; revois-le ; est-ce le gobage du minuscule petit poisson que tu viens de remettre à l'eau ? Réfléchis encore, me disait-il, et lance de nouveau 2 m plus haut. J'allongeais ma ligne et j'étais récompensé par un gobage qui me combla d'aise.

Il pesait deux livres et demi.

L'obscurité était revenue, des étoiles brillaient dans le ciel ; dans l'air les chauves-souris avaient pris la place des martinets. Tout était fini. […] tout cela pénétrait mon âme, me procurant un repos, un calme, un équilibre, des émotions qu'aucune autre expérience ne peut offrir.

J.W. HILLS, *A Summer on the Test* (1924)

CI-DESSUS : pêche à la truite dans un ruisseau en mai.

PÊCHER EN ÉTÉ

Quelques poissons sont associés à l'été : black-bass, poisson-chat, brème, carpe et barbeau. La pêche à la tanche est une affaire du matin tôt ou du soir quand le soleil est couché. Il faut qu'il fasse chaud, qu'il n'y ait aucun bruit. Les plus belles prises se font à la pâte et aux vers. Le poisson-chat est un poisson d'été. Quand l'eau devient plus chaude, ils deviennent plus voraces et les paniers se remplissent de ces poissons qui peuvent être pris en pêchant à fond.

Aucun poisson, cependant, n'impose plus le respect que la carpe. Il y a deux approches pour pêcher la carpe. Voici l'approche respectueuse :

CI-DESSUS : *Pêche d'un bateau* (détail) par A. W. Redgate.

Chez lui, le pêcheur de carpe, le plouf lourd d'une grosse carpe en chasse, déclenche un délicieux frisson confirmé par la vision de son épine dorsale, montant et descendant comme la danse d'une langue de serpent. Comme ils sont nombreux, les bruits qu'on entend près de l'eau à la tombée de la nuit ! Quelques-uns peuvent être identifiés et l'imagination travaille. Il n'y a pas d'eau vraiment calme quand le soleil s'en est allé. De temps en temps, une ondulation passe à travers les roseaux, quelque chose fouette l'eau et couine, des feuilles de nénuphar remuent et frissonnent, des reflets cachés vont et viennent. C'est une heure enchantée.

"B. B.", *Confessions of a Carp-fisher* (1950)

Et il y a l'autre approche :

Aussi loin que je puisse remonter, je sais que l'ingrédient principal pour prendre de grosses carpes, c'est la chance. Je reconnais l'habileté et la patience de certains pêcheurs ; mais moi, je fais totalement confiance à la chance. Je voudrais dire aux novices : cultivez votre chance. Encouragez-la par de petits sacrifices. Évitez les pies sur votre chemin. Détournez-vous des vieilles femmes qui louchent. Jetez du sel par-dessus votre épaule gauche. Touchez du bois avec l'index de la main droite chaque fois que vous n'avez pas pu le faire. Soyez en bons termes avec le chat noir. Payez vos dettes à la nouvelle lune. Ne passez pas sous une échelle. Ne pêchez pas un vendredi. Faites un vœu en préparant le pudding de Noël. Accomplissez tous les autres rites que vous connaissez ou dont vous entendrez parler. Tout cela est important pour pêcher la carpe.

H. T. SHERINGHAM

Coarse Fishing (1912)

La pêche à la carpe est une religion et la prise d'une très grosse carpe prend des mois de patience et de préparation. Cela demande du dévouement, requiert du bon matériel. Ce serait folie que de la pêcher avec un équipement inadapté. Il faut du savoir-faire et, plus que tout, de la chance.

PÊCHER EN AUTOMNE

L'automne est le meilleur moment pour prendre du tout venant : barbeau, gardon, vandoise, chevesne à la mouche sèche, perche : de nombreux poissons sont au mieux de leur forme. L'automne est aussi le meilleur moment pour l'ombre commun et le saumon.

L'ombre commun vit dans les ruisseaux des parties basses des massifs montagneux et en particulier en Franche-Comté. Il demande autant d'habileté que la truite. Une *Red Tag* est traditionnellement la meilleure mouche à utiliser.

En octobre et novembre, les saumons qui remontent, bondissent au-dessus des cascades. Il faut alors se rendre en Écosse ou en Irlande, la pêche au saumon étant fermée en France depuis la mi-juillet. Chez nous commence alors la grande saison de la truite de mer, celle des rivières normandes et bretonnes.

CI-DESSUS : pêche au Tweedswood Beat, sur la rivière Tweed, en automne.

le poisson qu'il faut. Il sait que c'est ce jour-là ou jamais. Le temps, la rivière et le poisson semblent soudain en harmonie avec le pêcheur, prêts à lui donner le meilleur d'eux-mêmes. Il n'y a plus une minute à perdre ; il faut lancer. Les aubépines semblent le savoir et, se joignant à cette joyeuse conspiration, elles attirent les mouches pour qu'elles ne viennent pas travailler dans le dos du pêcheur.

ARTHUR RANSOME
Rod and Line (1929)

Il y a un blason d'écarlate et d'or sur les hêtres qui se penchent vers la rivière. Et leur reflet s'allonge sur l'eau transparente comme une tache cramoisie. Le saumon prend la mouche bien bas. Calme comme il est, son mouvement vers moi n'est révélé que par une ondulation en surface – à 1 m, semble-t-il, d'où se trouvait la mouche. Ensuite,

L'instant royal est difficile à définir ou à expliquer, quoique chaque pêcheur le connaisse. C'est comme un de ces silences soudains dans un brouhaha général quand "un ange passe". Aujourd'hui peut-être… ou alors demain. Ces choses là se sentent. Alors, le pêcheur ne lance pas avec seulement l'espoir de remonter un poisson ; il sait qu'il en remontera un, il est sûr qu'il piquera

il l'a tirée tout droit, sans à-coup, pour emmener 20 m de ligne avec lui. Alors, d'un grand coup de côté, saute un grand poisson rouge dans le soir rougeoyant sur fond de bois dorés. C'est la pêche d'automne.

P. R. CHALMERS
Where the Spring Salmon Run (1931)

PAGE DE DROITE : *Le pont de Mantes,* par Corot (1868-1870).

NOTES DU PÊCHEUR

DATE ....

COIN DE PÊCHE ....

MATÉRIEL ....

TEMPS ....

    TEMPÉRATURE DE L'AIR .... DE L'EAU ....

    CONDITIONS DE PÊCHE ....

    DIRECTION DU VENT ....

LA PRISE

POISSON ....

....

POIDS ....

TECHNIQUE DE PÊCHE ....

COMMENTAIRES ....

....

....

....

DATE ....

COIN DE PÊCHE ....

MATÉRIEL ....

TEMPS ....

    TEMPÉRATURE DE L'AIR .... DE L'EAU ....

    CONDITIONS DE PÊCHE ....

    DIRECTION DU VENT ....

LA PRISE

POISSON ....

....

POIDS ....

TECHNIQUE DE PÊCHE ....

COMMENTAIRES ....

....

....

....

NOTES DU PÊCHEUR

DATE ....

COIN DE PÊCHE ....

MATÉRIEL ....

TEMPS ....

    TEMPÉRATURE DE L'AIR .... DE L'EAU ....

    CONDITIONS DE PÊCHE ....

    DIRECTION DU VENT ....

LA PRISE

POISSON ....

....

POIDS ....

TECHNIQUE DE PÊCHE ....

COMMENTAIRES ....

....

....

DATE ....

COIN DE PÊCHE ....

MATÉRIEL ....

TEMPS ....

    TEMPÉRATURE DE L'AIR .... DE L'EAU ....

    CONDITIONS DE PÊCHE ....

    DIRECTION DU VENT ....

LA PRISE

POISSON ....

....

POIDS ....

TECHNIQUE DE PÊCHE ....

COMMENTAIRES ....

....

....

NOTES DU PÊCHEUR

DATE ....

COIN DE PÊCHE ....

MATÉRIEL ....

TEMPS ....

TEMPÉRATURE DE L'AIR .... DE L'EAU ....

CONDITIONS DE PÊCHE ....

DIRECTION DU VENT ....

LA PRISE

POISSON ....

....

POIDS ....

TECHNIQUE DE PÊCHE ....

COMMENTAIRES ....

....

....

....

DATE ....

COIN DE PÊCHE ....

MATÉRIEL ....

TEMPS ....

TEMPÉRATURE DE L'AIR .... DE L'EAU ....

CONDITIONS DE PÊCHE ....

DIRECTION DU VENT ....

LA PRISE

POISSON ....

....

POIDS ....

TECHNIQUE DE PÊCHE ....

COMMENTAIRES ....

....

....

....

NOTES DU PÊCHEUR

DATE ....

COIN DE PÊCHE ....

MATÉRIEL ....

TEMPS ....

    TEMPÉRATURE DE L'AIR .... DE L'EAU ....

    CONDITIONS DE PÊCHE ....

    DIRECTION DU VENT ....

LA PRISE

POISSON ....

....

POIDS ....

TECHNIQUE DE PÊCHE ....

COMMENTAIRES ....

....

....

DATE ....

COIN DE PÊCHE ....

MATÉRIEL ....

TEMPS ....

    TEMPÉRATURE DE L'AIR .... DE L'EAU ....

    CONDITIONS DE PÊCHE ....

    DIRECTION DU VENT ....

LA PRISE

POISSON ....

....

POIDS ....

TECHNIQUE DE PÊCHE ....

COMMENTAIRES ....

....

....

Index